Het geheim van de wilde paarden

AVI 9 / M 6 – E 6

Eerste druk 2010
© 2010 tekst: Joke Reijnders
© 2010 illustraties: Saskia Halfmouw
Omslagontwerp: Rob Galema
Uitgeverij Leopold bv, Amsterdam / www.leopold.nl
ISBN 978 90 258 5671 7 / NUR 282

Uitgeverij Leopold drukt haar boeken op papier met het FSC-keurmerk.
Zo helpen we waardevolle oerbossen te behouden.

Joke Reijnders

Het geheim van de wilde paarden

Met tekeningen van Saskia Halfmouw

LEOPOLD / AMSTERDAM

AVI 9 / M 6 – E 6

Eerste druk 2010
© 2010 tekst: Joke Reijnders
© 2010 illustraties: Saskia Halfmouw
Omslagontwerp: Rob Galema
Uitgeverij Leopold bv, Amsterdam / www.leopold.nl
ISBN 978 90 258 5671 7 / NUR 282

Mixed Sources
Productgroep uit goed beheerde bossen
en andere gecontroleerde bronnen.
www.fsc.org Cert no. CU-COC-803902
© 1996 Forest Stewardship Council

Uitgeverij Leopold drukt haar boeken op papier met het FSC-keurmerk.
Zo helpen we waardevolle oerbossen te behouden.

Inhoud

Drie paarden

Tessa keek verbaasd omhoog toen er een kluitje aarde op haar kaart viel. Liep daar iemand? Ze zag niets, maar het leek alsof ze gedempte voetstappen en geritsel van bladeren hoorde.

Tessa en haar pony Poppel stonden op een diep uitgesleten holle weg. De randen van de weg waren wel twee meter hoger dan Tessa. De kluit aarde moest van de begroeide rand gevallen zijn. Zou daar iemand hebben gelopen? Waarom zag ze dan niemand? Vreemd...

Tessa richtte haar aandacht weer op de kaart.

'Volgens mij moeten we hierheen,' zei ze tegen haar tweelingbroer Jim. Ze wees naar rechts, waar de holle weg verder door het bos liep. Toen vouwde ze de kaart op en stopte hem in de zadeltas van Poppel.

Zo'n holle weg was net een brede glijbaan met hoge zijkanten, vond Tessa. Heel bijzonder. Net zoals de vele heuvels in dit gebied, waardoor je uitzicht iedere paar meter anders was. Tessa wist zeker dat dit de mooiste trektocht was die ze ooit had gemaakt.

'Het is hooguit nog een kilometer of drie naar de Hoevenhof,' zei ze.

Jim keek op zijn horloge. 'Mooi, dan zijn we er ongeveer over een halfuurtje. Gelukkig maar, want het is al laat en ik heb honger als een paard.'

'Tjonge, wat een leuke grap,' zei Tessa droog. 'Als je me

eerst even had gekieteld, had ik er misschien om moeten lachen.'

Ze pakte de teugels om op te stijgen.

Opeens klonk er in de verte een vreemd geluid.

'Prrriehoe!'

Geschrokken keek Tessa haar broer aan. 'Wat was dat?'

Op hetzelfde moment gooide Poppel zijn hoofd omhoog en hinnikte.

Jim wees. 'Daar loopt een paard!'

Aan de bovenkant van de holle weg liep een paard. Door de bladeren heen toverde de zon gouden vlekken op de bijna gele vacht. De merrie bleef even staan toen ze de pony's van Tessa en Jim zag. Toen hinnikte ze zacht. Van achter een groepje bomen verschenen nog twee lichtgekleurde paarden, die briesend antwoordden.

'Moet je kijken wat een aparte kleur ze hebben,' zei Tessa. 'Hé, dat is raar. Ze lopen gewoon los...'

'Misschien komen ze hier uit de buurt en zijn ze uitgebroken,' zei Jim. 'Laten we proberen ze te vangen.'

Hij bond zijn pony Karamel met een losse knoop aan een boom. Uit zijn zadeltas haalde hij een halster. Tessa maakte Poppel snel aan een andere boom vast. Jim liep al langzaam in de richting van de drie gouden paarden. Die keken met belangstelling naar Karamel en Poppel.

Tessa krabbelde onhandig achter Jim aan tegen de steile wanden van de holle weg. Maar nog voor ze halverwege waren, klonk het vreemde geluid weer door het bos.

'Prrriehoe!'

De eerste merrie hinnikte hoog en schril en draaide

zich om. Het volgende ogenblik waren de drie paarden verdwenen. Alsof ze waren opgelost.

'Eh… waar zijn ze heengegaan?' vroeg Tessa.

Jim schudde verbaasd zijn hoofd. 'Geen idee. Ze zijn spoorloos.'

Ergens in de verte kraakte een tak in het bos. Van de paarden was niets meer te zien of te horen. Hoog in de bomen kraste een vogel. Het klonk onheilspellend. Een rilling liep over Tessa's rug.

Tessa en Jim keken elkaar aan. Ze lieten zich tegelijk het laatste stukje van de helling glijden.

Jim schraapte zenuwachtig zijn keel.

'Zullen… zullen we maar verder gaan?' stelde hij voor.

De hoeven van Poppel en Karamel ploften op de stenen toen Jim en Tessa de binnenplaats van de Hoevenhof opreden. Het geluid werkte als een waarschuwingssysteem. Vanuit de stallen kwam meteen een lange man het erf op lopen. Het was Erik, een goede vriend van de ouders van Tessa en Jim. Samen met zijn vrouw Inge was hij de eigenaar van De Hoevenhof.

'Ha, daar hebben we Tessa en Jim,' riep de man vrolijk. 'Hebben jullie een goede rit gehad?'

'Erik, we hebben net zoiets raars gezien. Er liepen drie paarden los in het bos,' zei Jim meteen. 'We…'

Erik trok zijn wenkbrauwen op. 'Loslopende paarden?' viel hij Jim in de rede. 'Hoe zagen ze eruit?'

'Nou, ze waren heel apart van kleur,' zei Tessa. 'Een beetje geelachtig – en toen de zon op hen scheen leek het wel of ze van goud waren.'

Eriks blik werd wazig. Hij staarde over de hoofden van Jim en Tessa heen in de verte, waar de weilanden overgingen in het bos. 'De wilde paarden...' mompelde Erik. 'Ze zijn er dus nog.'

'Wat?' vroeg Jim. 'Wilde paarden?'

Erik maakte even een beweging met zijn hoofd. Het was net alsof hij er een gedachte uit probeerde te schudden.

'Dat vertel ik je later wel,' zei hij. 'Zet eerst je pony's maar in de wei. De zadels en de hoofdstellen kun je in de kasten in de schuur leggen.'

Tessa en Jim zadelden eerst hun pony's af en hingen de hoofdstellen over een paaltje. Daarna liepen ze voor de pony's uit naar de wei. Karamel en Poppel volgden hen op de voet.

Een van de andere gasten van de Hoevenhof kwam aanslenteren. Met grote ogen keek hij naar de pony's, die braaf achter Tessa en Jim aan liepen.

'Hé,' riep de man naar Tessa. 'Zijn dat wel pony's? Ze gedragen zich meer als honden.'

Erik gaf Tessa een knipoog.

'Nou, dat hebben jullie goed voor elkaar, jongens,' zei de man. 'Ik wou maar dat mijn vrouw net zo goed luisterde – hahaha!' Hij grinnikte nog wat na en liep in de richting van het zwembad.

Tessa keek Jim aan en rolde met haar ogen.

Erik opende het hek van het weiland. Poppel en Karamel liepen meteen de wei in en begonnen daar rustig te grazen.

'Zo, die hebben het wel naar hun zin,' zei Erik. 'Komen jullie mee? Als iedereen er is, zal ik jullie alles vertellen

over de wilde paarden. Het is namelijk een bijzonder verhaal. Maar nu de pony's verzorgd zijn, moeten we aan
jullie eigen verzorging denken. Jullie zullen wel honger
hebben na zo'n lange rit. Inge heeft in de kampvuurkuil
een vuurtje gestookt. Daar staat een ketel met een lekkere
stoofschotel klaar.'

Tessa en Jim volgden hun neus naar het kampvuur. Boven
het knetterende vuur stond een driepoot, waaraan een
ketel hing.

'Daar zijn jullie!' riep Inge. Ze liet de pollepel in de ketel
vallen, sprong op en knuffelde Tessa en Jim uitgebreid.

'Ga zitten,' zei Inge. 'Hoe is het met je ouders? Heb je ze
al gebeld dat je goed bent aangekomen?'

'Hebben we net gedaan,' zei Tessa. 'We moesten je de
groeten doen van mama.'

Jim plofte neer op een van de boomstammen die in de
kampvuurkuil lagen.

Hij snoof. 'Het ruikt heerlijk!' zei hij hongerig.

'Je moet nog even wachten,' zei Inge. 'De andere gasten
kunnen elk ogenblik hier zijn.'

'Hoeveel gasten hebben jullie?' vroeg Tessa.

'We zitten helemaal vol,' antwoordde Inge. Ze vertelde
dat de familie Brouwer al een paar dagen in een huisje
op de Hoevenhof verbleef. Af en toe maakten ze een dag-
tochtje of gingen ze naar de stad om te winkelen. Niet
iedereen bleef zo lang als de familie Brouwer. De meeste
gasten logeerden maar een of twee dagen op de Hoevenhof. Daarna trokken ze weer verder met hun paarden.

Een meisje kwam naast Tessa in de kampvuurkuil zitten.

'Ah, daar hebben we de familie Brouwer al,' zei Inge. Ze begon meteen de stoofpot uit de ketel op de borden te scheppen. 'Hoe was het in de stad, Melinda?'

'Stad? Welke stad?' klaagde het meisje. 'Een groot boerengat, dat was het. Er was niet één leuke winkel te vinden.'

Even later zaten ook Melinda's ouders met hun herdershond Max en een paar andere gasten in de kampvuurkuil. Al snel was iedereen opgewekt aan het praten. Alleen Melinda mopperde nog een beetje na over de slechte winkels in de buurt.

Tessa en Jim schepten wel drie keer op van Inges stoofschotel. Tessa kletste lang met een meisje dat samengestelde wedstrijden reed met haar pony.

Toen het schemerig begon te worden, zei Erik: 'Ik heb de tweeling het verhaal over de wilde paarden beloofd.' Hij keek Tessa en Jim vragend aan. 'Willen jullie dat nog horen?'

Jim en Tessa knikten enthousiast.

Erik liet zijn stem dalen. 'Maar ik waarschuw je vast: het is een spannend verhaal. Dus als je denkt dat je er vannacht niet van kunt slapen, moet je nu iets anders gaan doen.'

'Kom maar op,' zei Jim.

Het verhaal van opa

'Mijn grootvader had hier, op de grond van de Hoevenhof,
een klein huisje. Hij werkte bij een hoefsmid, die een kilometer of drie verderop woonde. Op een dag had opa tot
's avonds laat moeten werken. Het was winter en erg koud.

De zon was al uren onder en mijn grootvader liep over de onverharde weg naar huis.

Er was in die tijd nog geen straatverlichting buiten het dorp, dus het was heel donker. Gelukkig kende mijn grootvader de weg goed. Bovendien kwam af en toe de maan achter de wolken tevoorschijn, waardoor hij beter kon zien.

Die avond was er iets vreemds aan de hand. Mijn grootvader had de hele tijd het gevoel dat hij in de gaten werd gehouden. Het was net alsof iets of iemand hem volgde. Steeds hoorde opa het geluid van brekende takjes en ploffende stappen vanachter de bomen. Hij ging sneller lopen. Achter de bomen deed degene die het geluid veroorzaakte dat ook.

Toen kwam mijn opa bij het kruispunt aan. Jullie kennen dat kruispunt allemaal. Je moet dat namelijk oversteken als je naar de Hoevenhof wilt. Maar toen mijn opa de viersprong bereikte, hoorde hij nog iets anders. Niet alleen de spookachtige geluiden achter de bomen, maar nu hoorde hij ook het geluid van een aanstormende koets. De wielen ratelden met grote snelheid over het zandpad. Kleine steentjes schoten weg. De paarden briesten onrustig.

Opa was verbaasd. Wie reed er nu 's avonds laat in het donker zo snel met zijn koets? Hij keek om zich heen, maar zag helemaal niets. Intussen klonk het geluid van de koets steeds dichterbij. Opa kon de paarden horen hijgen, maar nog steeds was er niets te zien. Voorzichtig deed opa een stapje op het kruispunt. Op dat moment hoorde hij een harde schreeuw. "Uit de weg," brulde de koetsier op de bok.

Vanuit het niets kwam een zwarte koets aanrazen. Opa wilde aan de kant springen, maar hij struikelde. Een van de paarden hinnikte geschrokken en steigerde. Opa voelde hoe de hoeven van het paard zijn hoofd raakten. De koetsier lachte hard en liet de zweep knallen. Uit de koets klonk hoog gegil van vrouwen en het brullend gelach van mannen. En dat was het laatste wat opa hoorde voor hij bewusteloos op de grond viel.'

'Pfft,' zei Melinda minachtend. 'Het was zeker een spookkoets en nu moeten wij bang worden. Echt niet.'

Maar Tessa zei ademloos: 'En toen? Ga door!'

'Niemand weet hoe lang opa daar bewusteloos op het kruispunt heeft gelegen. Toen hij zijn ogen opendeed, zag hij de sterren helder twinkelen. Opa kreunde van de pijn en voelde druppels warm bloed over zijn gezicht sijpelen. Hij wilde opstaan, maar het lukte hem niet. Voorzichtig ging hij rechtop zitten en tastte met zijn handen langs zijn been. Zijn enkel was flink gezwollen. Blijkbaar had hij die verdraaid toen hij viel.

Opa wist dat hij niet op de grond kon blijven zitten. Dan zou hij onderkoeld zijn voordat het dag was of voordat iemand naar hem op zoek ging. Maar hoe hij het ook probeerde, hij kon absoluut niet overeind komen.

Toen gebeurde er iets vreemds: vanachter de bomen hoorde hij het spookachtige geluid weer. En net zoals de spookkoets dat had gedaan, kwam ook dat geluid dichterbij. Zachte ritmische ploffen, die steeds harder klonken.

Als versteend bleef opa zitten en keek in de richting van het geluid. Toen trok een wolk voor de maan weg. In het maanlicht galoppeerden een aantal paarden het kruispunt op. Als knecht van de smid kende opa natuurlijk zo ongeveer alle paarden in de omtrek. Maar hij had nog nooit zulke prachtdieren gezien als deze. Hun manen en staarten glansden als van goud.'

Tessa hapte naar adem. Naast haar zweefde Jims hand boven de vacht van Max. Hij was midden in een aaibeweging gestopt en staarde met grote ogen naar Erik. Die knikte betekenisvol naar hen.

'De wilde paarden draafden opgewonden briesend in de richting van mijn opa. Daar bleef een merrie staan en boog haar nek. Mijn opa aarzelde geen ogenblik en sloeg zijn armen om de hals van het paard. De merrie bracht langzaam haar hoofd omhoog. Daardoor vond opa genoeg kracht om op zijn gezonde voet te gaan staan.

Mijn opa streelde het paard. Als ik maar op haar kon rijden, dacht hij, dan kan ik naar huis. Tot zijn grote verbazing bleef het paard rustig staan terwijl opa over haar rug ging hangen. Met grote inspanning lukte het opa zijn been over de rug van het paard te zwaaien. Hij hing over de hals van het paard, dat meteen begon te lopen. De anderen liepen mee. En het vreemde was: de merrie liep uit zichzelf naar het huisje waar mijn opa woonde.'

'Ja hoor,' zei Melinda. 'Een loslopend paard dat je opa braaf als een pakketje thuis aflevert. Dat geloof je toch zeker zelf niet? Het gaat om een paard, niet om een postbode...'

'Ik zweer dat dit echt gebeurd is,' zei Erik. 'Ik vertel je dit verhaal precies zoals opa het aan mij heeft verteld.'

'Dat zegt niks,' mompelde Melinda.

'Stil nou,' zei Tessa. 'Wij willen hiernaar luisteren.'

Melinda porde nors met een tak in het kampvuur, maar hield verder haar mond.

'Voor de deur van opa's huisje bleven de paarden staan. De merrie bleef rustig wachten tot opa van haar rug was geklauterd. Opa opende de deur. Het paard liep met hem mee naar binnen, zodat hij op haar kon steunen. Toen opa zich in zijn bedstee liet vallen, draaide het paard zich om en liep de deur uit. Binnen een paar seconden stierf het geluid van hun hoeven weg. Ze waren verdwenen.'

'Net zoals de paarden die wij hebben gezien,' fluisterde Jim tegen Tessa. 'Die waren ook heel snel verdwenen.'

'De volgende dag kwam mijn opa niet op zijn werk

opdagen. De hoefsmid voor wie hij werkte, stuurde een van zijn andere knechten naar opa's huis. Die zag dat de deur openstond en dat mijn opa gewond in de bedstee lag. Hij rende terug naar het dorp om de dokter te halen. Opa had een gebroken enkel, een gebroken kaak en een hersenschudding. Hij vertelde de knecht en de dokter wat er was gebeurd, maar die geloofden geen woord van het verhaal. Ze vonden dat opa maar wat minder moest drinken. Maar mijn opa dronk nooit alcohol, nog geen druppel.'

'En hoe zat het nu met die spookkoets?' vroeg Melinda.

'Ah, de spookkoets,' grijnsde Erik. 'Dus je gelooft mijn verhaal wel? De spookkoets bleek de koets te zijn geweest van de jonge graaf uit het dorp. Hij was stiekem naar een feestje gegaan, terwijl zijn vader niet thuis was. Omdat hij te lang op het feest was blijven hangen, had hij de koetsier opdracht gegeven zo snel mogelijk terug naar huis te rijden. Hij wilde terug zijn voor zijn vader thuiskwam. Maar dat plan mislukte. De graaf zat al bij het haardvuur toen hij de koets over de keien hoorde ratelen. Hij was bepaald niet blij toen hij merkte dat zijn zoon ongehoorzaam was geweest. Na een paar dagen hoorde de graaf in het dorp dat mijn opa door een koets was aangereden. Hij begreep dat zijn zoon bij het ongeluk betrokken was en liet mijn opa opsporen. Toen hij opa bezocht, schrok hij. Opa's gezicht was bont en blauw. Een deel van de hoefafdruk van het steigerende paard stond zelfs nog afgedrukt op zijn kaak. De graaf gaf mijn opa een grote schadevergoeding. De jonge graaf kreeg er flink van langs van zijn vader. Maar voor mijn opa was het een geluk bij een ongeluk. Want met het geld van de graaf en zijn gespaarde geld kon opa deze boerderij laten bouwen. Hij noemde het de Hoevenhof. De naam was een blijvende herinnering aan de hoeven van het paard dat hem had geraakt. En natuurlijk aan de hoeven van het paard dat hem veilig naar huis had gebracht.'

'Wat een verhaal,' zei Jim met een zucht.

'Maar dat is nog niet alles,' zei Erik. 'Het bleef niet bij deze ontmoeting met het wilde paard. Volgens mijn grootvader beschermden de wilde paarden hem sindsdien. Soms hielp het paard hem in moeilijke situaties. Of het verscheen plotseling als waarschuwing als er iets naars stond te gebeuren. Vaak zag opa alleen de merrie. Maar af en toe waren de andere paarden er ook bij. En altijd verdwenen de paarden even plotseling als ze waren gekomen.'

Tessa slikte. 'Denk je...' zei ze aarzelend. 'Denk je dat wij de wilde paarden van je opa hebben gezien?'

Een inbraak

Melinda mikte een stuk hout in het kampvuur. Een golf van kleine rode vonken spoot omhoog naar de donkere hemel.

'Ik snap niet dat jullie ook maar één woord geloven van die onzin,' zei ze nijdig. 'Een stom kampvuurverhaal is het, niets meer.'

'Nou, nou, Melinda,' vermaande Harry Brouwer zijn dochter. 'Niet zo onaardig doen.'

'Als jullie maar niet denken dat ik hier nog verder naar luister. Ik ga naar bed,' snauwde Melinda.

Ze stond op en stevende naar het huisje waarin de familie Brouwer verbleef. De herdershond stond ook op en draafde achter haar aan.

'Die is bang,' zei Jim. 'Melinda, bedoel ik. Niet de hond.'

Erik haalde zijn schouders op. 'Ik heb het zelf altijd een mooi verhaal gevonden...'

'Het was ook een mooi verhaal,' zei Tessa.

'Haast te mooi om waar te zijn,' grinnikte Jim.

Even later kropen Tessa en Jim in het huisje waar ze logeerden in hun slaapzakken.

'Geloof jij wat van dat verhaal van Erik?' vroeg Tessa.

'Geen woord,' zei Jim. 'Het was een spannend verhaal, maar het kan gewoon niet waar zijn.'

'Maar hoe verklaar je dan dat wij vandaag die drie wilde paarden hebben gezien?'

'Toeval. Misschien zwerven die paarden hier gewoon rond.'

'Hoe vaak gebeurt het dat er paarden "gewoon" rond-zwerven? Nooit! Paarden hebben altijd een eigenaar,' zei Tessa vastberaden. 'Bovendien waren de paarden die wij zagen plotseling verdwenen. Dat is raar. En je vergeet dat het paard van Eriks opa goudkleurig was, net zoals de paarden die wij hebben gezien.'

'Tess, moet je horen: in het verhaal van Erik was er een logische verklaring voor die spookkoets. En dus is er ook een logische verklaring voor die wilde paarden. En ook voor het feit dat ze plotseling verdwenen.'

Tessa zuchtte. 'Misschien. Maar ik vind het gek dat de opa van Erik steeds werd gewaarschuwd door wilde paar-den en dat wij vandaag drie wilde paarden hebben gezien.'

'Dan is dat vast bedoeld als drievoudige waarschuwing.'

Tessa ging rechtop zitten. 'Zou je denken?'

Jim lachte. 'Nee, natuurlijk niet. Dat was maar een gein-tje. Ga nou maar slapen.'

Tessa knipte met een zucht haar bedlampje uit.

'Als je maar weet dat ik morgen op onderzoek uitga naar de wilde paarden.'

'Goed hoor,' gaapte Jim. 'Ik ga wel met je mee. Kan ik je wegtrekken als die spookkoets eraan komt stormen.'

De volgende morgen stond op een lange picknicktafel het ontbijt klaar. Tessa zag warme broodjes, croissants, wen-telteefjes, kannen met versgeperste vruchtensappen...

Ze laadde haar bord vol en ging met een tevreden gezicht aan de picknicktafel zitten. Ze groette de andere gasten en begon te eten.

Jim kwam naast haar zitten. Hij gooide steels een stuk kaas naar de herdershond van de familie Brouwer, die het kwispelend opat.

'En... wat zijn jullie plannen voor vandaag?' informeerde Erik, terwijl hij de tafel rondkeek.

Melinda gaf geen antwoord. Ze keek nors voor zich uit. Haar vader had kleine oogjes, alsof hij nog niet helemaal was uitgeslapen.

'Melinda wil gaan winkelen, maar Harry heeft daar geen zin in. Hij heeft slecht geslapen vannacht...' zei Melinda's moeder.

'Dat kwam vast door dat spookverhaal van Erik,' giechelde Tessa.

Melinda wierp haar een boze blik toe, maar Harry Brouwer grijnsde schaapachtig.

'... dus ik denk dat we vandaag een rustdag aan het zwembad houden,' ging Patricia Brouwer onverstoorbaar verder.

'En jullie?' vroeg Inge aan Jim en Tessa.

De tweeling keek elkaar even aan. 'Ik denk dat we vandaag niet zoveel doen,' zei Tessa. 'Misschien wat spelen met de pony's.'

'Spélen?' herhaalde Melinda ongelovig. 'Het zijn geen honden, hoor.'

'Nou, hun pony's wel,' zei Erik. 'Die lopen ook als hondjes achter hen aan. Het zou me niets verbazen als die zelfs stokken gingen apporteren, net zoals Max.'

'Stokken niet, maar ballen wel,' zei Jim. 'Dat is een makkie. Dat doen we heel vaak. Vinden ze leuk. Echt waar,' voegde hij eraan toe, toen hij zag dat Melinda hem ongelovig aankeek.

'Kinderachtig gedoe,' mompelde Melinda.

'Tja, dat jij nou zo'n verwaand nest bent dat niks leuk vindt,' zei Jim nijdig.

'Jongens, jongens,' suste Erik. 'Wacht even. Ik haal mijn laptop en dan kijk ik even voor je op de pagina met regionaal nieuws, Melinda. Daar staat een evenementenagenda op. Misschien zijn er vandaag nog leuke dingen in de buurt te doen.'

Melinda rolde met haar ogen. Maar toen haar vader haar waarschuwend aankeek, glimlachte ze flauw naar Erik.

Erik kwam snel terug met zijn laptop en scrolde over de pagina. 'Hé, dat is gek,' zei hij toen.

'Wat is gek?' informeerde Inge.

'Er zijn vannacht zadels gestolen bij de manege.'

'Wat?' zei Inge geschrokken. 'Bij manege Vlier?'

'Ja. Wel vijftien stuks,' zei Erik. 'De dieven hebben blijkbaar eerst de deur van de zadelkamer opengebroken en daarna alle sloten van de zadelkasten.'

'Vijftien stuks... Dat is een kostbare aangelegenheid,' zei Harry Brouwer.

'Is bij jullie de boel wel goed af te sluiten, Erik?' vroeg een van de gasten. 'Ik zou niet willen dat het hier ook gebeurde. Ik heb mijn westernzadel speciaal in Amerika laten maken. Als dat gestolen wordt, ben ik flink de sigaar.'

'Maak je maar geen zorgen,' zei Erik. 'Het is hier hartstikke veilig. We hebben dikke sloten op de kasten met de zadels.'

'En als er inbrekers zijn, dan blaffen onze pony's ons wel wakker,' zei Jim met een schuine blik naar Melinda. 'Dat kunnen ze namelijk ook.'

Een vreemde ontmoeting

Tessa en Jim waren met Karamel en Poppel met een bal aan het spelen toen Melinda met Max in haar kielzog naar het weiland kwam slenteren.

'Hé Melinda, wil je meedoen?' vroeg Tessa.

Melinda wierp de tweeling een verachtelijke blik toe. Ze ging nors zwijgend over het hek van het weiland hangen.

'Joh, laat toch,' zei Jim. 'Aan die zuurpruim is toch geen lol te beleven. Hé, je wilde toch op zoek naar de wilde paarden?'

'Jawel,' zei Tessa verbaasd, 'maar ik dacht dat jij dat onzin vond.'

'Vind ik ook. Maar ik heb geen zin om in de buurt van die onweersbui te blijven,' zei hij met een hoofdbeweging in de richting van Melinda. Lenig gooide hij zijn been over Karamel heen en reed naar het hek.

Tessa opende het hek en sprong toen op Poppel.

Melinda keek de tweeling met open mond aan. 'Rijden jullie zonder hoofdstel en zadel?'

'Ja,' zei Tessa onverschillig, 'als we daar zin in hebben. Dat hoort bij de manier waarop wij met onze paarden omgaan. Natuurlijk paardrijden heet dat.'

'Erik vertelde al dat jullie hoofdstellen gebruiken zonder bit. Maar nu snap ik het! Je zegt dat het "natuurlijk paardrijden" heet, maar eigenlijk bedoel je "armoedig paardrijden". Omdat jullie natuurlijk niet genoeg geld hebben om een bit te betalen,' zei Melinda vals. 'En je rijdt zonder zadel, omdat het anders te snel slijt. Stelletje armoedzaaiers.'

'Nee, we rijden zonder bit omdat we dat beter voor het paard vinden,' begon Tessa.

Maar Melinda viel haar in de rede: 'O, en nu begrijp ik ook waarom jullie met zijn tweeën hier zijn. Je ouders hebben natuurlijk geen geld om zelf mee te kunnen gaan. Zielig hoor.' Ze lachte schamper.

'Onze ouders hebben een eigen stal. Daar leren ze mensen op een natuurlijke manier paardrijden,' zei Tessa fel, terwijl ze vanaf Poppels rug het hek sloot. 'En omdat het vakantie is, hebben ze heel veel ruiterkampen. Daarom konden ze niet mee.'

'Joh, doe geen moeite. Laat dat verwende nest toch gewoon in haar sop gaarkoken,' zei Jim luid. 'Ze is het niet waard, Tess. Kom, we gaan.' En hij draafde voor Tessa uit.

'Dit is ongeveer de plek waar we gisteren de wilde paarden zagen,' zei Tessa. Ze keek speurend om zich heen. Iets verderop liep een oude vrouw over de holle weg. Verder zagen ze niemand.

'Misschien kunnen we aan die mevrouw vragen of ze de paarden heeft gezien,' bedacht Jim.

Ze reden naar de vrouw toe, die regelmatig bukte om takken en stukken hout op te rapen.

'Mevrouw?' begon Jim voorzichtig.

De vrouw slaakte een kreet van schrik en draaide zich met een ruk om naar Tessa en Jim.

'Allemachtig, wat laat je me schrikken,' pufte ze met haar hand op haar borst.

28

'Sorry, dat was niet de bedoeling,' stamelde Jim. 'We wilden alleen vragen...'

'Het geeft niet, het geeft niet,' zei de vrouw. 'Ik was alleen zo in gedachten verzonken dat ik jullie niet gehoord had.'

Haar lange witte haar zat in een knotje. Ze droeg een rode lange rok met een groen jasje en was niet bijster groot. Op haar rug had de vrouw een soort draagdoek gebonden. Uit de doek staken grote en kleine stokken.

'Wat een mooie pony's hebben jullie,' zei de vrouw bewonderend. 'Wat voor ras is het? Het zijn echt prachtige dieren, die...'

'Dank u,' onderbrak Jim haar, 'maar eigenlijk wilden we graag weten of u misschien...'

'Ja, je ziet wel dat jullie goed voor ze zorgen,' babbelde het oude vrouwtje door. 'Dat is helemaal niet vanzelfsprekend, hoor. O nee, ik heb wel eens paarden gezien die...'

'Heeft u misschien drie goudkleurige wilde paarden gezien?' schreeuwde Jim bijna.

Het oude vrouwtje hield meteen haar mond. Ze keek Jim en Tessa onderzoekend aan.

'Wat zeg je?' vroeg ze argwanend.

'Toen we hier gisteren reden, zagen we drie wilde paarden,' begon Jim.

'Nou ja, we dénken dat het wilde paarden waren,' vulde Tessa aan. 'Ze hadden geen ruiters bij zich en ook geen tuig om.'

De vrouw zette haar handen in haar zij. 'En wat willen jullie van die "wilde paarden"?'

Jim haalde zijn schouders op. 'Gewoon... Erik, dat is de

eigenaar van de Hoevenhof waar we logeren, zei dat de wilde paarden af en toe opduiken en...'

'Er zijn geen "wilde paarden",' zei de oude vrouw stug.

'Ja, maar,' begon Tessa.

'Ik wil er niets meer over horen,' zei de oude vrouw. Ze bedekte haar oren met haar handen. Toen draaide ze zich op haar hielen om. Ondanks haar leeftijd liep ze razendsnel een steil stuk van de helling van de holle weg op. Boven aan de weg bleef ze staan. Ze stak een vuist op naar Tessa en Jim en schudde die dreigend.

'Blijf uit de buurt van de paarden,' schreeuwde ze. 'En laat ik jullie niet meer zien in dit bos! Anders weet ik je te vinden!' Ze draaide zich om en verdween tussen de bomen.

Tessa en Jim zwegen geschrokken.

'Dat was vreemd,' zei Jim toen.

Tessa begon zenuwachtig te giechelen. 'Wat een raar mens. Ze deed me een beetje denken aan de heks van Hans en Grietje.'

Jim proestte. 'Ja, nu je het zegt. Ze was natuurlijk hout aan het sprokkelen om de oven op te stoken. Volgens mij kunnen we die wilde paarden inderdaad maar beter met rust laten.'

'Hè?' zei Tessa verbaasd.

'Ja, we moeten nu op zoek naar dat jongetje en meisje dat ze gevangen houdt in haar huisje. Als we niet snel zijn, is Hans al dik genoeg om op te eten...'

Tessa grinnikte. 'Ik ga toch liever op zoek naar die wilde paarden,' zei ze.

Toen ze terug waren op de Hoevenhof kwamen ze op het erf Erik tegen.

'Hé, daar heb je de tweeling,' zei hij. 'Jullie had ik net nodig.'

'Waarom?' informeerde Jim.

'Er zijn zojuist onverwacht drie extra gasten gekomen die hier willen overnachten,' zei Erik. 'Eigenlijk zitten we vol, maar dat geldt voor alle pensions hier in de buurt. Toen dacht ik: misschien vinden Jim en Tessa het wel leuk om een nachtje op de hooizolder te slapen. Dan kunnen die drie jongens namelijk in jullie huisje overnachten.'

'Prima!' zei Tessa.

'Spannend,' vond Jim. 'We brengen meteen onze spullen even over naar de hooizolder.'

'Cool,' zei Jim opgetogen. Hij stond voor de geopende staldeuren en keek met een goedkeurende blik naar de open hooizolder. De hooizolder was over een deel van de stallen gebouwd. Aan de beide lange zijden van het stalgebouw waren paardenboxen. Die waren leeg, want alle paarden stonden in de wei. In de hoek bij de deuren stonden grote ijzeren kasten. Daarin waren de zadels en hoofdstellen van de gasten van de Hoevenhof opgeborgen. Er zaten dikke ijzeren kettingen om de kasten heen.

Tessa klauterde al via de trap naar de hooizolder. Toen ze boven was, gooide Jim met een boogje de slaapzakken naar zijn zus, die ze behendig ving. Even later liet Tessa zich tevreden languit in het hooi vallen. Hier konden ze prima slapen.

Toen ze hun spullen op de hooizolder hadden achtergela-
ten, slenterden ze terug naar het weiland. Op het erf liep
Erik met enorme bossen takken te sjouwen.

Jim stootte Tessa aan. 'Volgens mij is het vandaag Nati-
onale Takkenbosdag,' fluisterde hij. 'Erik doet ook al mee.'

'Wat ben je aan het doen?' vroeg Tessa aan Erik, terwijl
ze met hem mee liepen.

'Pizza aan het maken,' zei Erik.

'Dat wordt dan een smakelijke maaltijd,' zei Jim droog.
'Ik verheug me er nu al op.'

Erik grinnikte en stopte bij een grote stenen oven, die bij de kampvuurkuil stond.

'Dit is om de oven op te stoken. Inge is bezig met het maken van de pizza's. We dachten dat jullie het misschien wel leuk zouden vinden haar te helpen.'

Hij opende het deurtje van de oven en schoof de takkenbossen naar binnen. Met een paar lucifers en wat kranten stak hij het hout aan. Binnen enkele seconden knetterde het vuur. Oranje vlammen schoten door het hout in de richting van de schoorsteen van de oven. Snel deed Erik het deurtje dicht.

'Als het hout is opgebrand, zit de hitte van het vuur in de stenen van de oven,' legde hij uit. 'Dan veeg ik de as eruit. En daarna stopt Inge er haar fantastische zelfgemaakte pizza's in. Door de warmte uit de stenen wordt de pizza gebakken. Nou, wat zeggen jullie ervan?' vroeg hij toen. 'Hebben jullie zin om Inge te helpen? Of hadden jullie andere plannen?'

'Prima,' vond Jim. 'Thuis laat mama me nooit in de buurt van de keuken komen. Ze zegt altijd dat de keuken eruit ziet alsof 'ie is ontploft als ik alleen maar een boterham smeer.'

'Nou, dan kun je vandaag helemaal aan je trekken komen, joh,' zei Erik lachend.

In de keuken van de Hoevenhof legde Tessa stukjes ananas in de vorm van de letter T op haar pizza. Naast haar strooide Jim enthousiast handenvol geraspte kaas op zijn pizza. Ook op het aanrecht, op de keukenvloer en zelfs in zijn haar zat geraspte kaas, naast wat stukjes tomaat. Inge keek bedenkelijk, maar zei niets.

'Inge? Wat vind jij eigenlijk van het verhaal van de wilde paarden?' vroeg Tessa. Ze had steeds aan de vreemde reactie van de oude vrouw moeten denken. Eerst had die gezegd dat er geen wilde paarden waren. En toen had ze geschreeuwd dat Tessa en Jim uit de buurt van de paarden moesten blijven. Daar klopte niets van.

Inge klopte wat bloem van haar handen af en keek de kinderen onderzoekend aan. 'Zijn jullie daar nog steeds mee bezig? Ik zal Erik zeggen dat hij niet meer van die rare verhalen moet vertellen.'

'Nee, nee,' zei Jim snel. 'We vonden het niet eng. We vroegen ons alleen af hoeveel er waar was van het verhaal.'

'Tja... Eriks opa zwoer dat het waar is, maar ik heb er zo mijn twijfels over. Ik heb die paarden nog nooit gezien. En Erik ook niet.'

'Maar wij wel,' zei Tessa fel. 'En ik geloof ook dat ze ons ergens voor willen waarschuwen.'

Inge schoot in de lach. 'De enige waarschuwingen waar ik een beetje waarde aan hecht, zijn de weerswaarschuwingen van het KNMI.'

De pizza's waren heerlijk. Niet iedereen nam deel aan de maaltijd. De drie jongens die eerder die dag waren aangekomen, bleven in hun huisje. Ze waren moe van de reis, hadden ze gezegd. Tessa en Jim hadden ze nog niet gezien.

Melinda at met lange tanden van haar pizza. Natuurlijk had ze het aanbod afgeslagen om zelf haar pizza te beleggen. Dat liet ze liever 'aan het personeel over', had ze tegen een stomverbaasde Erik gezegd. Na het eten haalde Inge een grote zak marshmallows te voorschijn, die ze als toetje in het kampvuur roosterden.

Deze avond vertelde Harry Brouwer over zijn avonturen met paarden. Hij deed dat zo smakelijk dat iedereen, behalve zijn eigen dochter, hard om de verhalen moest lachen. Pas toen de sterren al lang aan de zwarte hemel flonkerden, vertrokken Tessa en Jim naar hun slaapplaats op de hooizolder.

Midden in de nacht werd Tessa wakker van een ratelend geluid.

De spookkoets! schoot het door haar heen. O nee, die bestond niet. Maar wat was dat geluid dan?

Roerloos bleef ze in haar slaapzak liggen. Ze hield haar

adem in om zo min mogelijk geluid te maken. Ze luisterde aandachtig. Ja, daar was het weer! Tessa probeerde vast te stellen wat ze precies had gehoord. En toen wist ze het: iemand rommelde aan de sloten en kettingen van de stalen kasten waarin de zadels en hoofdstellen waren opgeborgen.

Er klonk een klik en daarna viel er iets ratelend op de grond: de ketting van een kast was doorgeknipt.

Dat kon maar één ding betekenen, dacht Tessa. De dief die bij manege Vlier zadels had gestolen, was nu hier aan het werk.

Achter ze aan!

Tessa's hart klopte in haar keel. Dit moest Jim weten! Ze keek naar haar broer, die diep lag te slapen. Even weifelde ze. Stel je voor dat Jim meteen rechtop ging zitten als ze hem wakker maakte. Dan zou het hooi vast en zeker gaan ritselen. En dan hoorde de dief dat en dan wist hij dat er iemand was. En misschien kwam 'ie dan wel naar de hooizolder! Maar aan de andere kant wilde ze dit ook niet in haar eentje doen…

Tessa nam een beslissing. Ze legde haar hand op de mond van Jim en trok hem even hard aan zijn haar.

'Oempf!' zei Jim gesmoord.

Tessa kromp ineen. Jim keek met grote ogen naar zijn zus.

Tessa legde een vinger op haar lippen en haalde daarna haar hand van Jims mond. Toen wees ze naar beneden en maakte weer een gebaar dat Jim stil moest zijn.

Jim knikte. Hij begreep het.

Heel voorzichtig en zo geruisloos mogelijk bracht Tessa haar lichaam wat meer naar voren. Ze loerde naar beneden. Naast haar deed Jim hetzelfde.

De staldeuren waren open en de lantaarn op het erf brandde. Daardoor zag Tessa dat in de hoek een schimmige figuur zwijgend bezig was de ijzeren kasten open te breken. Een tweede figuur laadde de zadels uit de kasten. Hij deed ze zo geruisloos mogelijk in een kruiwagen en liep er toen mee weg.

Snel dook Tessa weer in elkaar. De zadeldieven waren inderdaad op de Hoevenhof!

De achtergebleven man pakte nu de laatste twee zadels op en vertrok.

Even later hoorde Tessa het geluid van een auto die langzaam weg.

Twee minuten later beukten Tessa en Jim met hun vuisten op de deur van de woning van Inge en Erik.

'Erik!' brulde Jim. 'Doe open!'

'Erik!' schreeuwde Tessa. 'De zadels zijn gestolen!'

De deur zwaaide open. Daar stond Erik, in zijn pyjama, zijn haar rechtovereind.

'Wanneer?' vroeg hij alleen maar.

'Een paar minuten geleden,' hijgde Tessa.

Met één hand schoof Erik Tessa en Jim naar binnen en dirigeerde hen naar de keukentafel.

'Ik ga kijken,' zei hij en sprintte naar buiten.

Even later kwam hij teleurgesteld terug. 'Niets meer te zien.'

Intussen had Tessa haar verhaal aan Inge verteld, die meteen de politie had gebeld.

'De telefoniste zei dat ze zo snel mogelijk iemand langs zou sturen,' zei Inge tegen Erik. 'Maar het kon wel even duren. Er is een uitslaande brand in de stad waar veel agenten naar toe zijn.'

Erik wreef nadenkend over zijn baardstoppels. 'Hmm. En in de tussentijd bouwen die dieven hun voorsprong alleen maar verder uit. Ik vind dat we ze achterna moeten gaan.'

Inge keek moeilijk. 'Dat vind ik nou niet zo'n heel goed idee,' zei ze aarzelend.

'Ik wel!' sprong Jim op.

'Ik ook!' zei Tessa.

'Kom op dan,' zei Erik. Hij trok een jas aan en duwde de kinderen naar buiten. 'Maken jullie de mensen aan de rechterkant van het erf wakker, dan doe ik dat aan de linkerkant. Als we met veel zijn, kunnen we de dieven misschien overmeesteren.'

'Meneer Brouwer! Mevrouw Brouwer! Wakker worden, uw zadels zijn gestolen.' Tessa toeterde uit volle kracht, terwijl Jim op de ramen bonsde. Binnen een paar tellen stond Melinda in de deuropening.

'Alle zadels zijn gestolen,' zei Tessa snel. 'De politie is onderweg, maar Erik wil zelf de dieven zoeken.'

'Wat?' zei Melinda, met grote ogen.

Jim knikte. 'Kom snel, we gaan allemaal achter de dieven aan.'

'O nee,' kreunde Melinda. 'Wat erg!'

Ze keek over haar schouder het huisje in. 'Ik zal eh... meteen mijn moeder wakker maken. We... we komen er zo snel mogelijk aan.'

Een paar minuten later zat een groot aantal gasten in de keuken van Erik en Inge. De drie jongens die eerder die dag waren aangekomen, ontbraken. Volgens Inge waren de drie van plan geweest om uit te gaan in de stad. Waarschijnlijk zouden ze de hele nacht weg blijven. Ook Melinda en haar ouders en de man van het westernzadel waren er nog niet. Blijkbaar hadden zij wat langer de tijd nodig om zich aan te kleden.

'We doen het als volgt,' zei Erik. 'Aan het einde van het erf lopen bandensporen het bos in. De dieven zijn dus waarschijnlijk via het bos ontsnapt.'

Hij wees een aantal gasten aan. 'Jullie gaan met mij mee in een terreinwagen. De anderen gaan, als ze hier zijn aangekomen, met Inge in de andere wagen.'

'Wij gaan met jou mee,' zei Tessa snel.

Maar Erik schudde zijn hoofd. 'Geen sprake van. Ik ga hier geen kinderen bij betrekken. Jullie blijven hier, samen met Melinda en degenen die te laat zijn om mee te gaan.' Hij griste zijn autosleutels van het aanrecht. 'Kom op, we gaan.'

Iedereen in de keuken kwam in beweging. Stoelen werden verschoven en mensen begonnen opgewonden met elkaar te praten. Jim en Tessa bleven achter.

'En nu?' zei Tessa in de stille keuken. 'Ik vind het niet eerlijk. Wij hebben de dief het eerst gezien.'

'We zijn goed genoeg om iedereen op te trommelen, maar als het spannend wordt, moeten we hier blijven,' sputterde Jim. '*Ik ga hier geen kinderen bij betrekken,*' deed hij Erik na. 'Belachelijk. We zijn al elf!'

Hij zuchtte en keek Tessa aan. Langzaam verscheen er een glimlach op zijn gezicht.

'Waarom gaan we niet gewoon zelf?'

Tessa sprong op en gaf haar broer een high five.

'Naar de pony's!' riep ze.

De bandensporen van de auto's waren goed te zien op het bospad. Karamel en Poppel draafden naast elkaar door het bos.

'Zie de maan schijnt door de bomen,' zong Jim zachtjes. Hij wees naar de hemel, waar een volle maan helder licht gaf.

Tessa grinnikte. Ze was blij dat Jim grapjes maakte, want dat leidde haar aandacht even af. Ze vond het niet prettig in het donkere bos. Het maanlicht wierp vreemde, grillige schaduwen van de bomen op het bospad. Achter

de struiken langs het bospad hoorde Tessa het gesnuif en geschuifel van nachtdieren. Ze verstijfde toen ze dichtbij een spookachtig geluid hoorde.

'Dat was een bosuil, Tess,' zei Jim geruststellend. Maar Tessa zag aan zijn gezicht dat hij ook geschrokken was.

In de verte hoorde ze een brommend geluid.

'Dat moeten de auto's zijn!' riep ze tegen Jim.

Tessa en Jim zetten hun pony's aan tot galop. Het was maar goed dat zij geen zadel nodig hadden, dacht Tessa. Ze konden net zo goed zonder als met zadel rijden.

Op een kruispunt van bospaden gingen de bandensporen rechtsaf. De weg ging steil omhoog een heuvel op. Snel reden ze het bospad in. Toen ze boven op de heuvel waren, zagen ze het.

'Kijk, Jim: de auto van de dieven!'

Ingesloten

Het leek wel alsof er een korte optocht door het bos reed. De dichtstbijzijnde jeep was die van Inge. Daarvoor reed Erik in zijn terreinwagen. Weer een stukje verder zagen Tessa en Jim een onbekend wit bestelbusje rijden. De auto's waren niet ver meer van Tessa en Jim verwijderd.

'Wat gaan ze langzaam,' zei Tessa.

'Dat komt natuurlijk doordat de wagens niet zo makkelijk over de bosgrond rijden,' zei Jim. 'Op dit soort paden heb je meer aan één paardenkracht dan aan honderd pk.' Hij aaide Karamel over zijn hals.

De terreinwagens hobbelden brommend over het bospad achter het busje aan.

'De dieven hadden natuurlijk nooit verwacht dat ze achtervolgd zouden worden,' zei Tessa. 'Anders hadden ze dit pad niet genomen.'

'Inge en Erik zitten ze op de hielen,' zei Jim tevreden. 'Kom op, we gaan ze helpen.'

Blijkbaar hadden de dieven gemerkt dat ze gevolgd werden, want plotseling zwaaide de achterdeur van het busje open. Een van de mannen verscheen. In zijn hand hield hij een jerrycan, waar de dop van af was. Met afschuw zagen Tessa en Jim hoe hij een vloeistof uit de jerrycan liet lopen. Een seconde later wierp hij een pakje brandende lucifers uit de auto.

Meteen vatte het benzinespoor dat de dieven hadden gemaakt vlam.

Jim schreeuwde. 'Ze steken het bos in brand!'

Tessa en Jim waren nu bijna bij de jeeps aangekomen. Erik en Inge zetten de auto's stil vanwege het vuur en sprongen eruit. Ze zwaaiden wild naar de tweeling.

'Wat heb ik nou gezegd?' brulde Erik. 'Dit is niets voor kinderen.'

'Jullie moeten ogenblikkelijk terug, jongens,' zei Inge. Ze draaide zich naar haar man. 'En wij moeten ervoor zorgen dat het vuur zich niet verspreidt.'

'Maar de dieven dan?' vroeg Tessa. 'Die ontsnappen nu!'

'Veiligheid voor alles,' zei Erik kort. Hij haalde een schep uit zijn auto en begon een geul te graven, zodat het vuur daar niet overheen kon komen. 'Voor ons houdt het hier op.'

'Maar voor ons niet,' zei Tessa zachtjes.

Jim en Tessa draaiden hun pony's om, maar Tessa was vastbesloten níét terug te gaan naar de Hoevenhof. Ze liet niet zomaar haar zadel stelen!

Achter zich hoorden ze het geknetter van vlammen. Tessa keek over haar schouders. Erik gaf bevelen en groef intussen als een bezetene. De andere inzittenden van de auto's sloegen met dekens op de vlammen, in de hoop ze te doven. Het bestelbusje was niet meer te zien.

'Ik heb een idee,' zei Tessa toen ze weer bij het kruispunt waren. 'We rijden verder over dit pad. En dan nemen we de volgende afslag rechtsaf. Dan rijden we om het vuur heen en dan komen we waarschijnlijk dichter in de buurt van de dieven.'

Jim keek haar bewonderend aan. 'Da's een goed idee!' zei hij.

In het maanlicht galoppeerden ze over het bospad.

'Links eromheen,' besloot Jim.

'Maar daar loopt geen pad,' zei Tessa.

'Dan gaan we toch van het pad af,' vond Jim. 'We hebben niet voor niets pony's.'

Stapvoets reden ze tussen de bomen door. Onder de voeten van hun pony's knapten takken. Tessa draaide zich met een ruk naar Jim toe.

'Weet je wat ik opeens bedenk?' zei ze opgewonden. 'Niet iedereen was er toen we alarm sloegen.'

Jim keek haar vol verwachting aan. 'Wat bedoel je daarmee?'

'Nou… Die drie jongens uit huisje Haflinger waren niet thuis.'

'Ze deden de deur niet open. Misschien sliepen ze nog.'

'Ach welnee. We maakten zoveel herrie, daar slaapt niemand doorheen.'

'O, ik snap het al!' zei Jim. 'Misschien waren ze niet thuis, omdat ze op dat moment al in een wit busje door het bos reden. Denk je dat zij de dieven zijn?'

'Dat weet ik niet,' zei Tessa peinzend. 'Ik bedoel alleen dat ik het wel heel toevallig vind.'

Ze reden zigzag tussen bomen en struiken door en sprongen over half vergane boomstammen. Als we maar op tijd komen, dacht Tessa. Als we de dieven maar kunnen vangen voor ze het bos uit zijn.

Na een paar minuten hield Jim zijn pony in.

'Eh…' zei hij. 'Ik geloof dat ik niet meer zo goed weet welke kant we op moeten.'

'Dat geeft niet,' zei Tessa opgewekt. 'Zolang we het vuur maar aan onze rechterkant houden, dan weten we ongeveer in welke richting we moeten.'

'Ja maar, Tess...,' zei Jim. 'Het vuur is niet alleen meer rechts van ons...' Hij draaide zich om en wees. 'Het is nu ook achter ons.'

Hij slikte zichtbaar. 'En links brandt het ook al. Blijkbaar was het nogal droog in het bos.'

'Allemachtig, we zijn ingesloten door het vuur!' zei Tessa met grote ogen.

'Nou, zo sterk zou ik het niet stellen,' zei Jim gespannen. 'Maar het schiet wel op.'

Het vuur knetterde en knalde steeds dichterbij. Karamel en Poppel werden er onrustig van en dribbelden zenuwachtig heen en weer.

Jim wees vooruit. 'Daar kunnen we nog heen.'

'Snel dan!' riep Tessa.

Ze stoven in de richting die Jim had aangewezen.

Tessa hoorde iets kraken en keek om zich heen.

'Jim, pas op!' gilde ze toen.

Voor Jim viel met donderend geraas een dode, brandende berkenboom op de grond. Een golf van vonken spoot omhoog toen de boom de grond raakte. De vonken verspreidden zich over de droge struiken, die vervolgens ook begonnen te knetteren. Karamel steigerde. Jim klampte zich aan de nek van zijn pony vast en viel er net niet af.

'Wat moeten we nu doen?' riep Tessa. De brandende boom had de weg naar de veiligheid afgesloten. Waar Tessa ook keek, ze zag alleen maar vlammen. Karamel

en Poppel liepen snuivend achteruit. Toen begonnen ze zenuwachtig rond te draven, op zoek naar een uitweg.

Het witte busje

Plotseling klonk er gehinnik boven het geraas van het vuur uit.

Poppel en Karamel gooiden hun hoofden omhoog en beantwoordden meteen de roep.

Voor Tessa en Jim konden reageren, schoten hun pony's weg, recht op het vuur af.

'Hooo,' riep Tessa. 'Rustig maar, Poppel.'

Maar Poppel rende in volle galop in de richting waar het geluid had geklonken. Recht voor Tessa vielen twee brandende bomen tegen elkaar aan. Tessa gilde en maakte zich zo klein mogelijk, terwijl Poppel onder de twee brandende stammen door galoppeerde. De hitte van de brandende bomen gloeide op Tessa's rug. Ze kneep haar ogen stijf dicht en deed een schietgebedje dat ze dit zouden overleven.

Achter zich hoorde ze de roffelende hoeven van Karamel. Toen klonk een verraste schreeuw van Jim: 'Tessa, kijk!'

De warmte werd minder. Tessa deed haar ogen open. Ze merkte dat Jim en zij in volle galop achter drie andere paarden aan stoven. De wilde paarden waren terug!

In één klap was Tessa haar angst vergeten. De wilde paarden waren hier! Ze hadden vast gemerkt dat Jim en zij in de problemen zaten, dacht Tessa. Nu waren ze gekomen om hen te helpen, zoals ze dat ook bij Eriks opa hadden gedaan.

'Laten we ze volgen,' schreeuwde Tessa naar Jim.

'Toe maar, Poppel, achter ze aan,' spoorde ze haar pony aan.

Ze boog zich over Poppels nek en merkte dat ze glimlachte. De wilde paarden waren er! Nu zou alles goed komen.

Voor de wilde paarden bestonden er geen bospaden of ruiterpaden. In volle galop denderden ze door het bos. Ze

gebruikten de paden alleen om ze over te steken en aan de overkant in het kreupelhout te verdwijnen. Poppel en Karamel volgden ze op de voet. Hun oren prikten vooruit, alsof ze blij waren deel uit te maken van de kleine kudde.

Tessa hing over de hals van Poppel om laaghangende takken te vermijden. Maar dat lukte niet altijd. Sommige takken striemden in haar gezicht en tegen haar benen. Het maakte niet uit, dacht Tessa, zolang ze maar uit de buurt van het vuur waren.

Na een tijdje maakte de vliegende galop plaats voor een rustiger draf. Uiteindelijk stapten de vijf paarden door het bos. De drie wilde paarden lieten hun hoofd zakken en begonnen te grazen.

Tessa en Jim keken om zich heen. In de verte hoorden ze sirenes van brandweerwagens. Ze slaakten tegelijk een zucht van opluchting.

'Enig idee waar we zijn?' vroeg Tessa.

'Natuurlijk niet,' zei Jim. 'Ik weet niet waar we zijn en ook niet hoe we weer naar de Hoevenhof moeten.'

'En toch...' peinsde Tessa. 'Toch hebben de wilde paarden ons niet voor niets hierheen gebracht. Ze willen ons helpen of ze zijn gekomen om ons te waarschuwen.'

Jim slaakte een diepe zucht. 'Tess, hou daar toch over op. Die paarden waren op de vlucht voor het vuur, net zoals wij. Ze zijn hier gestopt omdat ze daar nu geen last meer van hebben. Wat dacht jij dan? Dat ze ons hiernaartoe hebben geleid omdat ze ons iets wilden laten zien?'

'Ja,' zei Tessa simpelweg. 'Ze hebben ons uit het vuur gered en hierheen gebracht. Dat heeft een reden.'

'Het is een verháál, Tess,' zei Jim ongeduldig. 'Een mooi verhaal voor bij het kampvuur, meer niet.'

'En toch geloof ik dat niet,' zei Tessa.

Ze liet Poppel weg stappen van de overige paarden. De bomen groeiden hier wat meer uit elkaar. Tessa zag dat ze boven op een heuvel stond. Onderaan de heuvel was een open plek in het bos, met daarop een kleine vervallen schuur. En bij dat schuurtje stond...

Tessa hapte naar adem. Het witte busje!

Tessa draaide zich om en wenkte Jim, terwijl ze een vinger op haar lippen legde.

Jim begreep de hint. Zonder iets te zeggen liet hij Karamel tussen de bomen door stappen en hield stil naast Tessa.

Tessa tuurde naar de open plek. De achterdeuren van het busje en de deur van het schuurtje waren geopend. Het kon haast niet anders dan dat dit het busje van de zadeldieven was.

Uit het schuurtje kwam een in het zwart geklede figuur het maanlicht in lopen.

Tessa hapte naar adem toen ze zijn gezicht herkende. Snel liet ze Poppel een stap naar achter doen, terug tussen de bomen.

Betrapt

'Allemachtig, het is Melinda's vader,' fluisterde Jim. 'En Max is ook bij hem.'

Geschrokken keken Tessa en Jim elkaar aan. Harry Brouwer laadde intussen beneden in het dal de zadels uit het busje. Op zijn dooie gemak bracht hij ze naar de krakkemikkige schuur. Max de herdershond dribbelde kwispelend achter hem aan.

'Vandaar dat Melinda zo vreemd reageerde toen we vanavond zeiden dat de zadels gestolen waren,' zei Jim peinzend. 'Weet je nog? Ze zei dat ze haar moeder wel wakker zou maken.' Hij lachte schamper, maar zachtjes. 'Logisch, haar vader was al wakker. Die heeft namelijk de kasten met de zadels leeggehaald.'

'Maar waarom zou hij dat doen terwijl wij op de hooizolder sliepen?' vroeg Tessa. 'Dat is toch niet logisch?'

'Hij wist niet dat wij daar waren. Voor zover hij wist, sliepen wij gewoon in een huisje. We zijn alleen verkast naar de hooizolder, omdat Erik extra gasten kreeg. Harry Brouwer heeft er nooit rekening mee gehouden dat er iemand op de hooizolder zou kunnen slapen. En nu snap ik ook waarom hij gisteren zo onuitgeslapen bij het ontbijt zat. Dat was natuurlijk omdat hij die nacht had ingebroken bij de manege hier in de buurt.'

'Misschien… maar ik vind het gek dat we dat busje niet eerder hebben gezien…' peinsde Tessa.

'Dat busje is natuurlijk van zijn handlanger. Het zou me niet verbazen als de familie Brouwer tijdens hun trektochten kijkt waar er wat te halen valt. En dan gaat Harry 's nachts met zijn dievenvriendje op pad, terwijl Melinda en haar moeder lekker blijven slapen.'

Tessa dacht na over wat Jim zei. Het klonk allemaal wel logisch, moest ze toegeven.

'En nu?' vroeg Tessa. 'Wat doen we nu?'

'Bellen,' zei Jim. 'Je hebt toch je mobiel bij je?'

Tessa grabbelde in de zak van haar rijbroek en belde het nummer van Inge en Erik.

Erik nam meteen op.

'Erik, met Tessa. Nee, we zijn veilig. Waar? Dat weet ik niet precies,' zei Tessa zachtjes. 'Nee, wacht nou even… Ja, dat begrijp ik wel… Ja maar, Erik…'

Erik foeterde een tijd over kleine kinderen op pony's en onverantwoordelijk gedrag en gevaarlijke situaties en zorgen maken enzovoort. Tessa keek wanhopig naar Jim, die zachtjes grinnikte.

'Maar Erik,' zei Tessa toen zo hard als ze durfde. 'We weten wie de dieven zijn.'

Erik viel midden in een woord stil.

Snel vertelde Tessa over de heuvel, het dal, het schuurtje en het busje en dat ze nu in het maanlicht Harry Brouwer zagen sjouwen met zadels.

Het bleef nog even stil aan de andere kant. Toen zei Erik: 'Blijf waar je bent. Ik weet precies waar jullie zitten. Ik bel de politie en ik kom er nu aan om jullie te halen.'

Tessa verbrak de verbinding. 'We moeten hier blijven,' zei ze tegen Jim.

'Da's ook niet logisch,' zei Jim. 'Harry zal toch wel bijna klaar zijn en dan vertrekt hij natuurlijk weer. Wat moeten wij dan doen?'

'Volgens Erik moeten we hier blijven wachten,' zei Tessa aarzelend.

'Onzin,' zei Jim. 'Als Harry wegrijdt, volgen we hem gewoon op een afstandje, zodat hij ons niet ziet. Dan kunnen we zelf wel thuiskomen. Want Harry gaat nu natuurlijk weer direct naar de Hoevenhof om te slapen.'

Onder aan de heuvel gooide Harry Brouwer de deur van het bestelbusje dicht. 'Kom Max,' riep hij. 'We gaan.'

'Wat doen we nu?' zei Jim.

'We blijven hier,' zei Tessa. 'Voorlopig nog wel, dat heb ik Erik beloofd.'

Maar op dat moment bleef de herdershond onder aan de heuvel staan. Hij hield snuffelend zijn kop omhoog en blafte.

'Wat is er, Max?' zei Harry Brouwer. 'Wat zie je dan?'

Hij tuurde in de richting waarin zijn hond keek.

Verschrikt keek Tessa toe hoe Harry Brouwer een paar snelle stappen in hun richting zette. 'Verder achteruit,' siste ze tegen Poppel.

Maar het was al te laat.

'Hé, wat doen jullie daar?' schreeuwde Harry Brouwer toen hij Tessa en Jim op hun pony's zag. 'Pak ze, Max!'

Harry Brouwer aarzelde geen moment. Hij rende naar zijn busje en startte de motor. De tweede dief sprong in de rijdende auto, terwijl Max luid blaffend de heuvel op rende.

'Wegwezen!' schreeuwde Tessa tegen Jim. 'Ze komen achter ons aan!'

58

Voor de tweede keer die nacht raceten Tessa en Jim in volle vaart door het bos. De wilde paarden renden weg voor een woest blaffende Max. Tessa en Jim waren op de vlucht voor zijn baas.

'Waar gaan we heen?' riep Jim.

'Geen idee, blijf de paarden maar volgen,' riep Tessa terug.

'Tess, ik wou dat je eens ophield met dat gedoe over de wilde paarden,' schreeuwde Jim kwaad. 'Het is een ver-háál!'

'Maar we kunnen nu niets anders doen dan ze volgen, want ik heb geen idee waar we zijn. Jij wel?' riep Tessa, die ook nijdig begon te worden.

Achter zich hoorde ze het bestelbusje van Harry Brouwer brommen. Tessa keek over haar schouder. Ze zag al de gele lichten van busje, die als twee boze ogen oplichtten in het donker.

'Ze komen dichterbij!' schreeuwde ze.

De paarden galoppeerden over een brede brandgang in het bos. Max achtervolgde hen nog steeds blaffend.

'Waarom gaan we dan niet het struikgewas in, zoals we eerder deden?' riep Jim. 'Dan kunnen we hem afschudden.'

Maar Tessa schudde haar hoofd. 'Nee, we volgen de paarden!'

'Allemachtig, ik wou dat je niet zo'n stijfkop was,' riep Jim, maar hij deed wat ze zei.

Diep in haar hart was Tessa er nog steeds van overtuigd dat de paarden hen opnieuw zouden helpen. Er móést iets waars zitten in het verhaal van Erik, dat kon niet anders. Oude verhalen hadden toch altijd een kern van waarheid?

'Ik ben hier helemaal niet blij mee,' pufte Jim naast haar. 'Erik had gezegd dat we moesten blijven waar we waren. Wie weet waar we nu naartoe gaan...'

'En net zei je nog dat we zelf wel naar huis konden!' zei Tessa verontwaardigd.

'Ik ben van gedachten veranderd,' zei Jim met een ongelukkig gezicht.

Tessa keek haar broer onderzoekend aan. 'Geloof me maar, het komt allemaal goed,' zei ze geruststellend.

Maar toen klonk er een geluid waardoor ze het zelf ook niet meer zeker wist.

'Prrriehoe!'

'Jim, daar is dat rare geluid weer!'

'Ja, dat hoorde ik ook wel,' snauwde Jim.

De wilde paarden gingen nog sneller lopen. Voordat Tessa en Jim erop bedacht waren, sloegen ze rechts af het kreupelhout in. Daar gingen ze over in draf. Tessa keek heel snel achterom en zag dat het busje van Harry Brouwer dichterbij was gekomen. Ze bedacht zich geen ogenblik en stuurde Poppel achter de drie paarden aan. Ze bukte zich om de laaghangende takken te ontwijken.

Achter zich hoorde Tessa een zwiepend geluid en meteen daarna jankte Max.

'Max zit in een strik van stropers!' riep Jim, die zag wat er gebeurde.

'Dat is zielig, maar daar kunnen we nu niets aan doen. Doorrijden!' beval Tessa.

Op het pad ging het portier van het witte busje open. Harry Brouwer stapte uit en rende naar zijn hond om hem los te maken. Hij brulde woest: 'Ik krijg jullie nog wel!'

'Prrriehoe!' klonk het weer, een stuk dichterbij dit keer.

We gaan recht op het geluid af, flitste het door Tessa heen. Opeens wist ze niet meer zeker wat ze moest doen. Achter haar op het pad stond een woedende zadeldief, met weinig goeds in de zin. En voor haar was het 'iets' dat het vreemde geluid maakte waar ze nu, in het donkere bos, kippenvel van kreeg.

'Doorrijden!' schreeuwde Jim, die haar aarzeling merkte. 'Kom op, Tess, we kunnen nu niet meer terug!'

'Prrriehoe!'

Plotseling verdwenen de paarden een voor een.

'We moeten achter ze aan, anders zijn we de klos!' riep Jim.

Zo snel ze konden reden Tessa en Jim in de richting waar ze de paarden hadden zien verdwijnen. Hier weken de bomen verder uiteen. Nog net op tijd kon de tweeling Poppel en Karamel inhouden. Ze stonden boven aan een nauw pad dat steil naar beneden liep. Jim en Tessa gingen achterover hangen om ervoor te zorgen dat de pony's hun gewicht beter kon verdelen op de steile helling. Glijdend en krabbelend kwamen de pony's beneden aan.

Daar zag Tessa in het maanlicht een piepklein huisje staan, met daarachter een grote wei met een houten afrastering. De paarden liepen naar een kleine figuur in een wit nachthemd, met uitwaaierende lange witte haren.

'O nee,' kreunde Jim. 'Van de regen in de drup...'

Wilde Greet

De wilde paarden liepen rustig naar de oude vrouw toe en lieten zich uitgebreid door haar aaien. Een van de paarden begon te drinken uit een emmer water die bij de wei klaar stond. Het voorste paard draaide zich om en brieste, waardoor de oude vrouw opkeek.

'Jullie weer?' zei ze verbaasd, toen ze Tessa en Jim zag. Ze zette dreigend een paar stappen in hun richting. 'Wat doen jullie hier?'

Tessa begon zenuwachtig een warrig verhaal af te steken over de wilde paarden en dat die hen gered hadden. En dat er zadels waren gestolen en dat de wilde paarden ervoor hadden gezorgd dat ze bij de dieven waren terechtgekomen. En dat de dieven toen achter hen aanzaten en dat de wilde paarden hen toen wéér in veiligheid hadden gebracht.

De heks van Hans en Grietje ontspande langzaam en aaide een van de paarden zachtjes tussen de ogen.

'En dat hebben deze drie allemaal gedaan?' vroeg ze.

Tessa knikte heftig. Ja, daar was ze van overtuigd.

De oude vrouw liep zonder iets te zeggen naar de afrastering. De paarden volgden haar. Ze deed het hek open en liet de paarden de wei in lopen. Jim en Tessa bleven aarzelend staan.

De vrouw draaide zich om. 'Kom maar,' zei ze. 'Zet jullie pony's maar hier neer. Dan kunnen ze uitrusten.'

'Ik doe heus niets,' vervolgde ze, toen ze de blikken tussen Tessa en Jim opving.

Jim haalde zijn schouders op en reed naar de wei, waar hij Karamel losliet.

'Weet je wat?' zei de oude vrouw. 'Bel anders even met die Erik van de Hoevenhof. Zeg maar dat je bij Wilde Greet zit. Dan kan hij jullie hier komen halen. Intussen zal ik je van alles vertellen over "de wilde paarden".'

Tessa liet Poppel in de wei en gaf ondertussen haar mobieltje aan Jim. Hij bracht Erik in het kort op de hoogte van hun verblijfplaats.

'O,' zei Greet. 'Zeg ook maar tegen die Erik dat ik niet zal schieten.'

Met grote ogen van verbazing gaf Jim de boodschap van Greet door.

Wilde Greet opende de deur van haar huisje en ging Jim en Tessa voor. Haar huis bestond uit één kamer. Daarin leefde, kookte en sliep Wilde Greet blijkbaar. In de kamer brandde een kaars, die Greet gebruikte om nog wat meer kaarsen aan te steken. Tessa en Jim gingen op een houten bank met zachte geblokte kussens zitten. Uit een thermosfles schonk Greet kruidenthee in houten kommetjes en zette die de kinderen voor.

'Waar zal ik eens beginnen?' mompelde ze in zichzelf. Toen vroeg ze hardop: 'Wat weten jullie van mijn paarden?'

'Niks,' zei Tessa. Ze vertelde in het kort het verhaal dat Erik hun had verteld. Greet luisterde aandachtig en knikte een paar keer instemmend.

'Nu snap ik het,' zei ze, toen Tessa klaar was met haar

verhaal. 'Ik zal je vertellen hoe het zit met de "wilde paarden".'

'Ik ben geboren in dit huis,' begon Greet. 'Mijn moeder stierf vrij snel na mijn geboorte. Mijn vader en ik zijn hier altijd blijven wonen. Na de dood van mijn moeder wilde hij geen andere mensen meer zien. Hij had genoeg aan de drie grote liefdes in zijn leven, zei hij altijd. Daarmee bedoelde hij mijn moeder, mij en zijn paarden. En dus bleef ik hier. Ik ging niet naar school. Van mijn vader leerde ik alles wat ik nodig had om in het bos te overleven.

De meeste mensen meden ons. Ze vonden mijn vader een vreemde kluizenaar. En omdat mijn vader nooit keurige staarten of vlechten in mijn ontembare haar maakte, noemden de mensen me al snel Wilde Greet, de dochter van Gekke Gerrit. Je weet hoe het gaat: iemand vertelt een verhaal over iets "vreemds" dat we zouden hebben gedaan. De volgende persoon verzint daar weer iets spectaculairs bij. En voor je het weet, is iedereen bang voor je. Iedereen in het dorp wist waar we woonden, maar niemand durfde bij ons in de buurt te komen. Niet dat ons dat wat uitmaakte, hoor. Mijn vader en ik vonden het prima.

Maar ik dwaal af... Ik zou vertellen over jullie geheimzinnige wilde paarden.

Ooit kocht mijn vader van een rondtrekkende zigeuner een prachtige merrie. Als de zon op haar vacht viel, leek het alsof die van puur goud was. Maar dat was niet alles. Volgens de zigeuner dacht de merrie als een mens en kon ze voelen wat een ander nodig had. Voor de zigeuner was de merrie volstrekt onbruikbaar. Bij ieder gewond vogeltje weigerde ze namelijk verder te lopen. De zigeuner wilde dus graag van haar af. In mijn vader zag hij een zielsverwant. Ze waren immers allebei mensen die ervoor kozen niet in een gewoon huis te wonen. Daarom kon mijn vader het paard voor drie guldens, een kop soep en een veer van een kraai kopen. Voor die veer heeft hij trouwens nog veel moeite moeten doen, maar dat is een ander verhaal,' grinnikte Wilde Greet.

'De zigeuner vertelde dat de merrie wild bloed had. Haar voorouders zouden wilde mustangs zijn geweest, en dat was te merken. Het was een ontzettend lief dier, maar af en toe kreeg ze de kolder in haar kop. Dan verdween ze spoorloos. Soms een paar uur, maar ook wel een paar dagen. Dan zwierf ze in de omgeving rond en kwam pas terug als ze daar weer zin in had.'

'Zou het... zou het kunnen dat Eriks opa de merrie van uw vader heeft gezien?' vroeg Tessa opgewonden. Ze vertelde snel hoe een goudkleurig paard de opa van Erik naar huis had geholpen.

Greet keek Tessa lang aan. 'Dat zou zo maar kunnen, kind,' zei ze. 'Het klinkt wel als iets wat onze merrie zou kunnen doen... Om een lang verhaal kort te maken: mijn vader begon met de merrie te fokken. We kregen hier een kleine kudde. Ons hele leven bestond uit paarden, van 's ochtends vroeg tot 's avonds laat. Maar we verkochten er nooit een, daarvoor waren ze te bijzonder. Toen mijn vader op sterven lag, moest ik twee dingen beloven. Ik mocht de paarden nooit verkopen. En ik mocht met geen mens over hun bestaan reppen. Hij wilde niet dat iemand op de hoogte zou zijn van de bijzondere kwaliteiten van deze paarden en er misbruik van zou maken.'

'En dus bleef het geheim van de wilde paarden geheim,' zei Tessa met een gelukzalige glimlach.

'Inderdaad,' zei Wilde Greet. 'Ik dacht altijd dat ik het geheim goed had bewaard. Maar toen kwamen jullie opeens in het bos en begonnen vragen te stellen over goudkleurige paarden. Ik begreep dat jullie de laatste drie paarden van mijn kudde hadden gezien. Ik dacht dat jullie ze met rust zouden laten als ik jullie maar bang genoeg kon maken.'

'Dat lukte best goed, hoor,' mompelde Jim. 'Echt leuk vonden we het niet.'

Wilde Greet maakte een verontschuldigend gebaar. 'Het was voor de paarden,' zei ze. 'Ik moet ze beschermen. Dit zijn de laatste directe afstammelingen van de merrie van de zigeuner.'

'De laatste wilde paarden,' zei Jim. 'Maar ze ontsnappen nog steeds, begrijp ik.'

Wilde Greet grinnikte. 'Dat wel, maar inmiddels heb ik ze al zo getraind dat ze komen als ik ze roep.'

'Hoe heten ze dan?' vroeg Tessa.

'Ze hebben geen namen,' zei Wilde Greet bruusk. 'Dat heb ik altijd zo'n onzin gevonden. Ik noem ze "jongen", of "meisje", of "liefje". Daar luisteren ze prima naar.'

'Maar hoe roept u ze dan?' vroeg Jim. 'Kom hier, liefje en jongen?' Hij grinnikte.

'Welnee. Van mijn vader heb ik een speciale roep geleerd. Als je die heel hard doet, draagt het geluid wel kilometers ver. Wacht, ik zal 'm zachtjes voordoen, anders staan de paarden zo in de kamer en dat is ook weer niet de bedoeling.'

'Prrriehoe!' klonk het vrolijk door de kamer.

'Als ze dat horen, komen de paarden zo snel als ze kunnen terug naar huis omdat ze weten dat er iets lekkers voor ze klaarstaat.'

'Dus u was het!' zei Jim met grote ogen. 'U maakte dat geluid.'

Wilde Greet boog alsof ze voor een wildenthousiast publiek had opgetreden.

Plotseling werd de deur opengegooid.

'Goedenavond,' zei Harry Brouwer vriendelijk. 'Allemaal graag de handen omhoog.'

Ongewenst bezoek

Tessa, Jim en Wilde Greet keken verbaasd naar Harry Brouwer, die met een grijns een pistool op hen richtte. Ook zijn handlanger stapte met een getrokken pistool het huisje van Wilde Greet binnen.

'Er zijn van die dagen waarop het meezit,' zei Harry Brouwer opgewekt tegen niemand in het bijzonder. 'Zo was ik vannacht aan het werk en bleek mijn werknacht behoorlijk wat op te leveren.'

Hij wendde zich naar Jim en Tessa. 'Jullie zadels mogen er zijn, hoor!' complimenteerde hij hen. 'Prachtige exemplaren, net zoals de westernzadels. Hartelijk dank daarvoor.'

Hij ging weer verder: 'Maar toen besloten sommige bemoeizuchtige figuren zich met mijn zaken te bemoeien. Er kwam een kink in de kabel. Voor ik het wist werd ik achtervolgd door een handvol bemoeials. Je begrijpt dat ik toen niet zo vrolijk was. Maar nu... dankzij jullie heb ik ontdekt dat er heel bijzondere paarden zijn. Goudkleurige paarden, die met je meedenken. Moet je je voorstellen wat die opbrengen als ze op de markt komen.'

Hij grijnsde akelig.

'Het blijven stomme beesten,' mompelde Harry Brouwers handlanger. 'Het is dat je met die zadels makkelijk geld kunt verdienen...'

'Jij blijft met je smerige poten van mijn paarden af!'

schreeuwde Wilde Greet woest. Maar ze zweeg meteen toen Harry Brouwer een gebaar met zijn pistool in haar richting maakte.

'Kop dicht, ouwe,' zei hij. 'Ik doe met die paarden wat ik wil. Maar nu ga ik er eerst voor zorgen dat jullie me niet in de weg lopen.'

Hij gebaarde met zijn pistool naar de bank, waar Jim en Tessa al op zaten. 'Zitten! Met de handen braaf achter je rug. Want oom Harry wil natuurlijk niet dat jullie meteen

naar de politie lopen. Dus daarom blijven jullie fijn hier, bij die rare mevrouw. Dan kun je niemand waarschuwen. En tegen de tijd dat iemand je vindt, zijn deze twee mooie vogels al gevlogen.'

Zijn handlanger stond nog steeds dom te grinniken in de deuropening.

Harry Brouwer glimlachte meewarig naar Tessa en Jim. 'Wat heb je nou geleerd? *Dat we ons niet met uw zaken moeten bemoeien, meneer Brouwer*,' zei hij alsof hij Tessa en Jim nadeed.

Harry Brouwer liep met een lang stuk touw achter de bank langs om de handen van Tessa, Jim en Wilde Greet vast te binden. Zijn handlanger hield hen onder schot.

Tessa keek naar Jim, die meewarig glimlachte. Ze kende haar tweelingbroer, dus ze wist wat dat glimlachje betekende. Jim wilde zeggen: 'Waar blijven je wilde paarden, nu we ze nodig hebben?'

Tessa besefte dat er maar één ding was wat ze nu kon doen. Ze haalde diep adem en brulde uit volle kracht: 'Prrriehoe!'

Harry Brouwer vloekte geschrokken. 'Wat bezielt jou, zeg?'

Bijna op hetzelfde ogenblik klonken er roffelende hoeven en een kreet. Drie goudkleurige paarden liepen in hun haast om binnen te komen de handlanger van Harry Brouwer omver. Achter de gouden paarden dribbelden Poppel en Karamel. Blijkbaar voelden ze zich onderdeel van een kudde en wilden ze daarom ook naar binnen.

De handlanger van Harry Brouwer krabbelde overeind. 'Dat had je nou niet moeten doen, stelletje bemoeizuchtige krengen,' gromde hij. Hij griste zijn pistool van de vloer en richtte dat op de paarden.

Tessa gilde.

Harry Brouwer gaf een brul.

'Laat dat, idioot! Die beesten zijn geld waard!'

Het pistool van de andere man klikte. 'Dat zijn ze als frikadel ook,' zei hij.

Harry Brouwer aarzelde geen moment. Hij dook op zijn handlanger af en sloeg zijn vuist in diens gezicht. De handlanger sloeg tegen de grond, maar trok Harry Brouwer aan zijn jasje mee onderuit.

Jim sprong op en rukte het touw los van de polsen van zijn zus. Snel keek Tessa rond. Ze rende naar een laag kastje, waar een vaas bloemen op stond. Ze pakte de vaas met bloemen en al en smeet die tegen het hoofd van Harry Brouwer. Jim wierp zich intussen op de handlanger, maar die was veel sterker en Jim belandde op de grond.

Intussen was Wilde Greet opgesprongen. Ze maakte een snoekduik, landde op haar bed en greep onder haar kussen. Daar haalde ze een jachtgeweer onder vandaan. Ze richtte de loop op het plafond en schoot ermee.

Beng!

Door de knal dook iedereen in elkaar. De paarden hinnikten geschrokken en deinsden met hun oren plat achteruit. Harry Brouwers handlanger liet het pistool uit zijn handen vallen. Snel gaf Tessa er een trap tegen, zodat het onder het bed schoof.

'En nu allemaal koppen dicht,' brulde Wilde Greet. Ze stond daar in haar witte nachthemd in de kamer. Haar witte haren dansten om haar hoofd. Ze keek met een verwilderde blik om zich heen, het jachtgeweer in haar hand.

Ze wees naar de deuropening. 'Naar buiten, jullie,' zei ze tegen de wilde paarden, die meteen deden wat hun was opgedragen. Karamel en Poppel volgden braaf.

'Jij,' zei Greet tegen Tessa, 'pak het touw!'

Nu waren de rollen omgedraaid. Tessa maakte met wild kloppend hart het touw vast aan de polsen van Harry Brouwers dievenmaatje. Jim deed hetzelfde bij Harry

Brouwer. Beide dieven durfden zich, onder Wilde Greets woeste blikken en met de dubbele loop van haar jachtgeweer op zich gericht, niet te verroeren.

'Jim! Tessa!' klonk het buiten opeens. Meteen daarna kwam Erik het huis van Wilde Greet binnenstormen.

Erik bleef staan en keek in het rond.

'O,' zei hij. 'Dit had ik niet verwacht.'

Achter hem rende Inge Wilde Greets huis binnen.

'Zijn ze gewond?' riep Inge. En toen ze de situatie overzag, zei ze ook: 'O.'

In de verte klonken loeiende sirenes van politieauto's.

Harry Brouwer liet zijn hoofd zakken. 'O-o,' zei hij.

'Precies,' zei Jim en grinnikte.

Opgeruimd staat netjes

De drie niet zo wilde paarden stonden in de wei bij het huisje van Wilde Greet.

Erik klopte op de deur en stak zijn hoofd naar binnen.

'Ah!' riep Greet. 'Daar zijn jullie weer.'

Tessa en Jim volgden Erik naar binnen.

'Ik vind het steeds leuker om jullie te zien,' zei Greet met een glimlach. 'Geen dieven of ander gespuis meegenomen deze keer?'

Erik keek voor de zekerheid over zijn schouder. Toen schudde hij grinnikend zijn hoofd.

'We komen afscheid nemen,' zei Tessa. 'Van de wilde paarden.'

'Dat zullen ze prettig vinden,' zei Greet.

'We hebben eerst nog wat nieuws over de man die jij vannacht onder schot hield, Greet,' zei Erik. 'Voor ik het vergeet: de politie komt straks nog even bij je langs. Ze willen jouw kant van het verhaal graag horen.'

'Prima,' zei Greet met een knipoog. 'Ik lust ze rauw.'

Tessa en Jim vertelden dat er wel vier politiewagens op het erf stonden toen ze bij de Hoevenhof aankwamen. De drie jongens waren zich naar geschrokken toen ze na het uitgaan thuiskwamen. 'Ze dachten dat *ik* in de boeien was geslagen,' grinnikte Erik.

Een agent had aan Tessa en Jim verteld dat Harry Brouwer een hele serie inbraken had gepleegd, waarbij hij tientallen zadels had buitgemaakt. Hij en zijn handlanger hadden eerst de brand in een leegstaand pand in de stad aangestoken om de aandacht af te leiden. Daarna waren ze teruggereden naar de Hoevenhof. Vanzelfsprekend hadden ze ook hun eigen zadels 'gestolen', zodat ze niet verdacht zouden zijn. Melinda en haar moeder werden meegenomen voor verhoor. Omdat ze niets met de diefstallen te maken hadden, mochten ze vrij snel terug naar hun huisje op de Hoevenhof. Later die ochtend waren ze met stille trom vertrokken.

'Ze hebben je toch wel betaald?' vroeg Wilde Greet argwanend aan Erik.

'Tot op de laatste cent,' zei Erik tevreden. 'Maar ze durfden Inge niet aan te kijken toen ze aan het afrekenen waren.'

'Opgeruimd staat netjes,' vond Jim. 'Er was geen lol te beleven aan dat kind.'

Ze liepen naar buiten. Tessa en Jim gaven de drie goudkleurige paarden stukjes wortel die ze hadden meegenomen, terwijl Erik en Wilde Greet over de afrastering hingen.

Erik maakte een hoofdgebaar naar de drie paarden. 'Het zijn mooie beesten.'

Wilde Greet zuchtte. 'Dat zijn ze inderdaad. Maar ik maak me wel eens zorgen over ze. Nu kan ik nog op ze letten. Maar wat gebeurt er met mijn paarden als mij iets overkomt? Ik wil niet dat ze uit elkaar worden gehaald. Ze zijn nu een kudde en dat moeten ze blijven. En bovendien wil ik dat de volgende eigenaar net zo voor ze zorgt als ik dat doe.'

'Natuurlijk,' zei Erik. 'Maar het duurt gelukkig nog wel even voor het zover is. Je bent een krasse dame, Greet.'

'Hé,' zei Jim. 'Misschien kunnen ze tegen die tijd wel bij ons wonen.' Hij legde snel uit dat hun ouders een eigen paardenbedrijf hadden, waar ze aan 'natuurlijk paardrijden' deden. 'Onze paarden mogen de hele dag los lopen en we rijden ze zonder bit,' vertelde hij enthousiast. 'En ze voelen zich vast thuis, want Karamel en Poppel kennen ze al.'

Greet staarde in de verte. 'Dat is misschien wel een goed idee,' zei ze peinzend. Toen keek ze Tessa en Jim streng aan. 'Maar voordat ze naar jullie gaan, wil ik wel dat jullie met ze omgaan zoals ze dat zijn gewend. Dus dat betekent dat ik jullie alles moet leren. Dan moet je dus regelmatig hierheen komen.'

'Natuurlijk,' beloofde Tessa. 'Juist leuk! Dan komen we in de vakanties hier logeren, met een tentje in het weiland. Of jij komt bij ons! We hebben ruimte genoeg. En papa en mama vinden dat vast goed!'

'Dat zien we wel,' zei Wilde Greet bruusk. Maar toen ze zich omdraaide, zag Tessa haar ogen blij twinkelen.

Erik, Tessa en Jim draaiden zich om in het zadel en zwaaiden naar Greet.

'Eigenlijk is Greet helemaal niet wild,' zei Tessa. 'Ze is een beetje anders, maar wel heel lief. En de paarden waren ook niet wild.'

'Maar ook niet helemaal tam. Het was maar goed dat ze ontsnapt waren,' zei Jim. 'Zonder de wilde paarden hadden we nooit de zadeldieven kunnen vangen.'

'Hèhè,' zei Tessa. 'Eindelijk snap je het.'

Het geheim van Joke Reijnders

Toen ik zo oud was jij, was ik gek op paarden en pony's. Mijn kamer hing vol paardenposters, ik spaarde ansichtkaarten met paarden erop en zelfs paardenpostzegels. Natuurlijk las ik ook ieder boek over paarden dat ik kon vinden. Mijn favorieten waren *Jackie wint een pony* en *Jackie's zomerponykamp*. Dat wilde ik ook! Een eigen pony winnen, hem liefdevol verzorgen en samen in de zomer lange trektochten maken.

Ik vond dat er in onze schuur ruimte genoeg was voor een stal. Ik maakte een handige bouwtekening om mijn ouders te overtuigen. Maar zij deelden mijn liefde voor paarden niet. Midden in het dorp kon je geen paard kwijt, vonden ze. En de ruimte in de schuur hadden ze zelf nodig. Een eigen paard kon ik dus wel vergeten, ik moest het doen met een uurtje per week les in de manege.

Maar hoe gek ik ook was op paarden, ik vond ze stiekem toch altijd een beetje eng. Alleen durfde ik dat niet te zeggen. Paarden zijn zo groot en sterk. Als ze een andere kant op willen dan jij, is het heel moeilijk om ze tegen te houden. Zelfs toen ik als volwassene weer op paardrijles ging, vond ik ze nog steeds een beetje eng. Maar ook toen hield ik dat geheim.

En toch... Door het schrijven van dit boek, herinnerde ik me weer hoe ontzettend leuk paardrijden is. Vooral het natuurlijk paardrijden, wat Tessa en Jim doen, vind ik super. Ik heb stiekem al weer gedroomd van een trektocht te paard, net zoals Tessa en Jim doen. Maar dan wel op een niet al te groot en heel mak paard…

Pssst...

Wie heeft de geheim-schrijfwedstrijd gewonnen?
Hoe heet het nieuwste boek?

Met de GEHEIM-nieuwsmail weet jij alles als eerste.

Meld je aan op www.geheimvan.nl

Op de website www.geheimvan.nl kun je:
- meedoen met de schrijfwedstrijd
- schrijftips krijgen van Rindert Kromhout
- alles te weten komen over de GEHEIM-boeken

Kijk ook op www.leesleeuw.nl

Winnaars van d

2003 Pleun Nijhof

Rindert Kromhout & Pleun Nijhof – *Het geheim van de raadselbriefjes*

2004 Rosa Bosma

Selma Noort & Rosa Bosma – *Het geheim van het spookhuis*

2005 Isa de Graaf

© foto: Gerlinde de Geus

Hans Kuyper & Isa de Graaf – *Het geheim van kamer 13*

2006 Marie-Line Grauwels

© foto: Gerlinde de Geus

Anneke Scholtens & Marie-Line Grauwels – *Het geheim van de circusdief*